I Grace ~ M.K.

I Poppy Jean Pretlove,
fy merch fach annwyl ~ M.McQ xx

gan Mij Kelly a
Mary McQuillan

Cyhoeddwyd gyntaf yn 2009 gan Hodder Children's Books,
338 Euston Road, Llundain, NW1 3BH

Cyhoeddwyd gyntaf yng Nghymru yn 2012 gan Wasg Gomer,
Llandysul, Ceredigion, SA44 4JL
www.gomer.co.uk

ISBN: 978 1 84851 469 0

Argraffwyd yn China.

Tisian!

Mij Kelly Mary McQuillan

Addasiad Helen Emanuel Davies

Gomer

Dyma hanes Siwsi Siân
a'r diwrnod ofnadwy
pan wnaeth hi . . .

DISIAN!

Roedd ei ffrindiau i gyd
yn ymddwyn yn berffaith
a dyma nhw'n troi ar Siwsi
ar unwaith. Medden nhw,

'Siwsi Siân!
Siwsi Siân!
Defnyddia
hances
os wyt ti'n
tisian!'

‘Mae’n ddrwg gen i,’
atebodd Siwsi, ‘do’n
i ddim yn gwybod
fod rhaid gwneud hynny.’

A dyna ddechrau ar helynt . . .

‘Dyw hi ddim yn gwybod!’

‘Does dim syniad
gan Siw!’

‘A gafodd hi wir
ei magu mewn
sŵ?’

'Mae hi'n anghwrtais iawn,
mae'n wir,' meddai'r fuwch.
'Ond dwi'n siŵr
y gall gyrraedd
safon uwch.

Os gwnawn ni
ei dysgu
hi beth yw'r
rheolau,
fydd hi,
Siwsi Siân,
ddim yn
gwneud
camgymeriadau.'

Rheol Rhif 1 yw paid â bod yn ddrewgi.

'Nawr edrych yn agos ar olwg y ci.'

'Mae hwn wedi anghofio'n llwyr am ymolchi. Mae'n fudr mae'n frwnt ac o! mae e'n drewi.'

‘Rhaid ’molchi â sebon, Siwsi Siân,
A brwsio dy ddannedd
nes eu bod nhw’n lân.
Ac i sychu dy drwyn
defnyddia hances –
Paid byth
â’i rwbio
ar dy lawes!’

Rheol Rhif 2 yw paid â bwyta fel mochyn.

'Mae'r moch yma'n llowcio. Dy'n nhw'n poeni dim. On'd ydyn nhw'n gwybod na ddylen nhw rolio a lolian o gwmpas fel hyn yn eu cinio?'

'Golcha dy ddwylo cyn bwyta dy ginio
Ac eistedd o'i flaen, nid sefyll ynddo.
Paid â bwldagu a chofia hyn,
Pan wyt ti'n cnoi, cau dy geg yn dynn!'

Rheol Rhif 3 yw paid â chweryla.

'Dydy rhai ddim yn gwybod
beth yw bod yn dda.

Mae'r cathod yn wyllt,
yn haerllug a chras.
Mae'n gywilydd i bawb
eu bod nhw mor gas!'

‘Dwed diolch bob amser
ac os gwelwch yn dda.
Bydd bob amser yn deg
a CHOFIA,

RHANNA!
RHANNA!
RHANNA!’

‘Dyna ni,’ meddai’r fuwch.
‘Dyna’r **rheolau**.
Tair **perl** o ddoethineb,
Fel **diemwntau**.’

'Paid â drewi

fel ci,

Na llowcio

fel mochyn,

Nac ymladd fel cath –

Fe fyddi'n **iawn** wedyn.'

Roedd y cathod a'r moch wedi gwylltio'n lân,
A'u ffrindiau o ffermydd eraill ar dân.

‘Dw i ddim
yn drewi
go iawn …
ydw i?’
meddai’r ci.

'Nawr gwrandewch arna i,' meddai Siwsi Siân.
'Mae'ch ffrindiau i gyd wedi **gwylltio**'n lân.
Rydych wedi brifo'u teimladau i gyd,
Fe dorroch chi'r rheol bwysica yn y byd.'

Y ***rheol aur*** *yw, 'Gwna i eraill, da ti,*
Fel yr wyt am i eraill wneud i ti.'

‘Hynny yw, rhaid bod yn garedig,’ meddai Siw. ‘A pheidio â brifo’u teimladau nhw.’

‘Pan ddwedsoch wrth bawb
’mod i’n drewi,
Ro’n i’n teimlo’n
ofnadwy o ych a fi,’
meddai’r ci.

‘O diar!’ meddai’r ddafad,
‘roedden ni allan o le
Yn dweud wrth y ci mai
hen ddrewgi oedd e.’

‘Ond falle y gallen ni
awgrymu’n dawel
Ei fod yn ymolchi,
â sebon a thywel.’

Llawlyfr
i
Anifeiliaid
Bonheddig

‘Mae pobl weithiau’n dysgu ymddwyn,’
Meddai Siwsi, ‘os ydych chi’n fwyn.

Roeddech chi’n gas i fi –
A rhaid i chi gofio
Nad trwy fwlio
Mae ’nghael i fihafio!’

Mae buchod
yn haerllug

'Daria!' meddai'r ceffyl.

'All neb fyth orfodi'r moch i newid.
Ond o ymddwyn yn gwrtais a thrio'u helpu
Fe wnân nhw ein dilyn ni a dysgu.'

‘Os ydych chi’n glên,’ meddai Siw, ‘credwch fi,
Fe fydd pobl eraill yn glên wrthych chi.’

Meddai’r cathod, ‘Fe dorroch chi’n
rhaff ni yn ddwy!
Nawr, wnawn ni ddim siarad
â chi byth mwy.’

'O jiw,' meddai'r afr,
'fe wnaethon ni gam –
Ond rhai od iawn yw cathod,
wn i ddim pam.'

'Ond o ddweud
sori ac
mae'n ddrwg
gyda ni . . .

. . . Fe allwn ni fod
yn ffrindiau â chi.'

Wedi hynny, daeth pawb
yn fwy bonheddig.
A thrin eu ffrindiau
yn garedig.

Y moch yn yfed te o gwpan,
Y ci'n ymolchi â dŵr a sebon
A'r cathod yn dawnsio'n
wên i gyd
Yn rhoi blodau hardd
i bawb yn y byd.

Fe roddon nhw flodyn i Siwsi Siân
Ac roedd hi bron iawn â

TH

TH

THISIAN...

Ond meddai'r ci,
'Dyma hances, Siw,'

'Fyddech chi **byth** yn dweud
iddi ddod o'r sŵ!'